DANS LA PEAU DE SAM

Soon

Une collection dirigée par Denis Guiot

Couverture illustrée par Prince Gigi

ISBN : 978-2-74-852395-9

25, avenue Pierre-de-Coubertin, 75013 Paris

DANS LA PEAU DE SAM

Camille Brissot

CHAPITRE 1

Charlie finissait de se coiffer quand on tambourina à la porte de la salle de bains.

– Hé, l'obsédée du miroir ! cria sa sœur, de l'autre côté. Tu comptes sortir de là un jour ?

– Oh ça va, deux secondes ! répliqua-t-elle, agacée.

Elle jeta un dernier regard au miroir, examinant avec attention le reflet qu'il lui renvoyait. De grands yeux verts, la peau claire et semée de taches de rousseur, de longs cheveux noirs ramenés en un chignon lâche – ça n'en avait pas l'air, mais il lui avait fallu une bonne dizaine de minutes pour le faire tenir. Charlie ajusta encore une mèche, déverrouilla la porte et sortit, satisfaite, de la pièce embuée.

Alice attendait dans le couloir.

– Beurk ! s'exclama-t-elle en entrant, l'expression furibonde. Tu prends des douches de parfum, maintenant ?

Charlie prit sur elle pour ne pas répondre. Ce n'était pas l'envie qui lui manquait mais, chaque fois qu'elle montait au créneau face à sa sœur, elle perdait : Alice avait un sens de la repartie redoutable et n'hésitait jamais à piquer là où ça faisait mal. Charlie se contenta donc de lui jeter un coup d'œil méprisant et alla s'enfermer dans sa chambre.

Les deux sœurs se ressemblaient si peu qu'il était impossible de deviner leur lien de parenté. Charlie était grande et élancée, avec des cheveux aussi lisses que brillants. De caractère enjoué, elle était très appréciée au collège. Elle était invitée à toutes les fêtes et avait même été élue déléguée de sa classe à l'unanimité ces deux dernières années.

Alice était son exact contraire, combinant physique quelconque et caractère de cochon.

Elle était petite – bien qu'étant l'aînée de trois ans, elle mesurait une bonne tête de moins que Charlie –, plutôt ronde, avec des cheveux frisés qui semblaient réfractaires à toute tentative de coiffure. Charlie avait entendu dire qu'elle n'avait pas beaucoup d'amis au lycée... *Comme c'est surprenant !* songea-t-elle en l'entendant sortir de la salle de bains façon tornade.

Une nouvelle porte claqua. Dans quelques secondes, Alice enfilerait des vêtements attrapés au hasard dans son armoire, forcément mal assortis, elle dévalerait les escaliers et filerait au lycée. Elle n'avait jamais dû arriver en cours avec moins de vingt minutes d'avance... Elle était première dans toutes les matières, alors que Charlie se contentait du milieu de tableau.

– Charlie ! cria sa mère. Dépêche-toi, tu vas rater ton bus !

Ça lui était arrivé plusieurs fois, ces derniers temps.

Mais ce n'était pas sa faute si elle avait autant de mal à trouver comment s'habiller !

Charlie se décida enfin pour une robe bleu pâle à fines bretelles et des sandales dorées, puis elle descendit à son tour. Sa mère était en train de boire un café dans la cuisine.

– Mam', dit-elle, après les cours, je vais à la fête foraine avec mes copines, tu te souviens ?

– Mmmm. Maximum vingt heures, d'accord ?

– Oui, oui !

Le bus scolaire s'arrêtait au coin de la rue, juste devant la boulangerie. Une petite file d'élèves patientait sur le trottoir. Lisa et Anne, ses meilleures amies, comptaient parmi eux.

– Sur le fil, commenta la première, comme le bus arrivait.

– Jolie robe, ajouta Anne.

Les filles bavardèrent un instant. Elles étaient toujours heureuses de se retrouver, mais ce matin-là elles étaient carrément euphoriques.

D'abord, parce qu'on était vendredi – ce qui était déjà une excellente nouvelle. Ensuite, parce que le mois de juin touchait à sa fin : le soleil brillait, chauffant leurs épaules, et les grandes vacances approchaient à toute allure... Et, cerise sur le gâteau, parce qu'elles avaient toutes les trois convaincu leurs parents de les laisser sortir ensemble après les cours. Elles allaient enfin pouvoir découvrir la fête foraine et les attractions dont tout le monde parlait au collège !

Oui, Charlie en était sûre : rien ne pourrait gâcher cette journée.

Les trois filles s'installèrent à leurs places habituelles, au fond du bus. Les portes se refermèrent. Soudain, il y eut des ricanements. Charlie tourna la tête vers la vitre : une silhouette venait de surgir au coin de la rue.

C'était Samuel, un garçon de sa classe. Il courait aussi vite qu'il le pouvait, son sac à dos ringard rebondissant sur ses épaules à chaque pas.

– Tiens, un épouvantail qui sprinte ! s'exclama Lisa à côté d'elle. J'en avais encore jamais vu.

D'autres commentaires fusèrent dans le bus – et certains étaient *vraiment* méchants.

Car Sam avait toutes les caractéristiques du parfait *loser*. Physiquement, déjà : il était grand, maigre, désarticulé. Ses cheveux retombaient en mèches grasses sur son front, son nez ressemblait à une pomme de terre trop cuite et ses sourcils étaient beaucoup trop épais. Sans parler de son style vestimentaire, tee-shirts miteux et baskets datant du xxe siècle. Charlie n'avait jamais vu une collection de fringues aussi bien assorties dans la mocheté. Niveau caractère, c'était un taiseux : Sam devait prononcer environ trois mots par jour. Il était toujours seul dans la cour du collège, toujours seul à la cantine, toujours seul aussi dans le bus. Maintenant que Charlie y pensait, il lui rappelait quelqu'un...

– Je devrais le présenter à ma sœur, fit-elle remarquer.

– Excellente idée ! approuva Lisa.

Les filles pouffèrent.

Dehors, Samuel avait accéléré. Il était tout rouge, maintenant, et secouait frénétiquement la main en direction du bus qui démarrait. Évidemment, personne ne fit l'effort de prévenir le chauffeur. Il ne fallait surtout pas gâcher le spectacle !

Le pied de Sam buta contre le bord du trottoir. Pendant une seconde, il sembla en suspension en l'air. Ses bras s'ouvrirent en grand, ses yeux s'écarquillèrent, puis il chuta, juste sous les regards des passagers du bus. Cette fois, les ricanements se transformèrent en de francs éclats de rire. Il y eut même quelques applaudissements.

– Sacrée performance, dit Lisa d'un air appréciateur. Ce type est vraiment un professionnel de la *lose* !

Anne approuva d'un gloussement, Charlie se contenta d'un sourire.

C'était vrai, Samuel était une sorte d'expert dans son domaine. Il ne manquait jamais une occasion de se ridiculiser. Mais il lui faisait de la peine, aussi. Charlie s'imagina un instant à la place de Sam. Être en permanence seul, raser les murs pour éviter les railleries et les insultes...

Comment pouvait-il supporter ça ?

Alerté par la vague de rires qui avait secoué son véhicule, le chauffeur avait repéré le retardataire et stoppé. Sam se releva. Il monta dans le bus, tenant son bras contre lui comme s'il s'était fait mal. Une nouvelle volée de moqueries l'accueillit. Il baissa la tête, les joues écarlates.

– Ça va ? s'inquiéta le chauffeur.

Sam bredouilla une réponse indistincte, avant de vite s'asseoir sur un siège. Il y eut encore quelques murmures et ricanements. Puis tout le monde finit par l'oublier, Charlie la première. Il y avait des sujets de conversation bien plus intéressants.

CHAPITRE 2

Lorsque la sonnerie de fin des cours retentit, Charlie, Lisa et Anne quittèrent ensemble le collège. La fête foraine Atlas était arrivée en ville quelques jours plus tôt et s'était installée sur les quais du fleuve, non loin de là. Une vague d'excitation envahit Charlie lorsqu'elle vit apparaître les courbes d'un grand huit, au-dessus des platanes. Des bribes de musique parvenaient déjà à ses oreilles, et des odeurs délicieuses flottaient dans l'air : crêpes en train de dorer, pommes d'amour, barbe à papa...

– Hum ! s'exclama Lisa en inspirant profondément. Vous sentez ça ?

Les trois amies accélérèrent le pas pour rejoindre la file d'attente déjà longue de l'entrée.

Au-dessus, une arche dessinait en néon le nom d'Atlas sur le ciel bleu. Charlie se dévissa le cou pour essayer d'entrevoir les premières attractions. Anne, la *geek* de la bande, trépignait d'impatience.

– J'ai lu plein d'articles sur Internet, expliqua-t-elle. La plupart de ces attractions ont été créées par un scientifique brillant, le professeur Atlas. Certaines d'entre elles sont si novatrices qu'elles ont inspiré de vraies avancées technologiques, couvertes par plus de cinquante brevets. Vous vous rendez compte ?

Pour être honnête, non, Charlie ne se rendait pas vraiment compte. Mais lorsque les filles déboulèrent enfin dans l'enceinte de la foire, elle comprit. Tout semblait encore plus incroyable que ce qu'elle avait imaginé ! Au sol, des dalles lumineuses matérialisaient le tracé des allées, qui se teintèrent de bleu sous ses pieds. Elle leva les yeux, et son émerveillement grimpa d'un cran. De grands ballons translucides flottaient à chaque intersection, à l'intérieur desquels on apercevait des reproductions 3D des attractions phares.

Le grand huit était juste en face. Lancé à pleine vitesse, un wagon fila devant Charlie, soulevant sa robe. L'espace d'un instant, elle crut avoir rêvé : mais non, il lévitait bien quelques centimètres au-dessus des rails !

– Propulsion électromagnétique, dit Anne avec un sourire béat. Je savais que ça existait, mais le voir en vrai… Waouh !

Lisa ne lui laissa pas le temps de s'émerveiller sur ce miracle de la science. Elle venait de remarquer une drôle de silhouette, un peu plus loin. C'était un gros robot blanc, au tronc en forme de tonneau et aux jambes articulées, qui déclamait d'une voix métallique :

– *Friandises ! Sucettes ! Churros !*

– J'en veux, décréta Lisa, se frayant un chemin parmi les badauds.

Elle glissa quelques pièces dans le bras du robot et passa commande. Une trappe s'ouvrit sur le torse de ce dernier, révélant un tiroir empli de churros fumants dans lequel Lisa n'eut plus qu'à se servir.

Les trois amies déambulaient le long des allées, sans arriver à se décider. Par quelle attraction commencer ? Il y avait tant à faire !

– Regardez ! s'exclama Charlie en désignant le *BubbleShake,* un entrelacs de tubes transparents dans lequel des gens étaient propulsés à une vitesse folle, roulant dans tous les sens, les cheveux dressés sur le crâne, les yeux écarquillés...

– Et ça ! riposta Lisa.

Elle avait repéré un stand d'autos tamponneuses qui, à première vue, semblaient tout à fait classique. À première vue seulement. Car, à l'intérieur des voiturettes, les gens portaient d'étranges casques noirs. Et, Charlie s'en rendit vite compte, chaque collision entraînait des hurlements de terreur disproportionnés.

– Des casques à réalité augmentée ! pontifia Anne, qui était décidément bien renseignée. Lorsque tu touches une autre voiture, le choc déclenche un spectacle dingue. Langues de feu, explosions...

De l'autre côté de l'allée, une attraction plus paisible les attendait : un étang artificiel dans lequel se reflétaient les rayons du soleil. Des canetons robots aussi vrais que nature dérivaient calmement à la surface, poursuivis par une nuée d'enfants armés de cannes à pêche.

– Et ça ? proposa Charlie en montrant un stand, à l'écart, sur le fronton duquel était inscrit : *GravitoTube*. On essaye ?

Les filles approuvèrent et elles testèrent enfin leur première attraction. C'était un grand cylindre dans lequel on flottait en apesanteur, à la manière des cosmonautes. Elles en ressortirent quelque peu étourdies.

– Allez, on ne mollit pas, ça ne fait que commencer ! lança Lisa.

En chemin, elles découvrirent un tir à la carabine laser sur cibles virtuelles, des combats d'exo-sumos – on se glissait à l'intérieur d'une baudruche robotisée et on devait faire basculer l'autre… Le regard de Charlie papillonnait, incapable de se fixer sur un point particulier. Sans même s'en rendre compte, elle perdit la notion du temps.

Le soleil glissait lentement dans le ciel qui se teintait de rose, des guirlandes lumineuses s'allumèrent, nimbant les lieux d'une aura féerique. Dans les allées de la fête foraine, les visiteurs étaient de plus en plus nombreux, il devenait difficile de se frayer un chemin parmi eux.

Soudain, Charlie tourna la tête. Ses amies avaient disparu dans la foule. Elle ne s'inquiéta pas pour autant – elle n'avait qu'à les appeler. Charlie bifurqua dans une allée plus calme, son téléphone en main.

C'est alors qu'elle repéra la silhouette de Sam.

CHAPITRE 3

Il se tenait devant une caravane particulièrement imposante, l'air hésitant. Intriguée, Charlie suspendit son pas. Que faisait-il là ? Plissant les yeux, elle distingua une plaque métallique apposée sur la porte de la caravane. Charlie était trop loin pour la déchiffrer, mais le symbole qui la surplombait était suffisamment éloquent : il était interdit d'entrer. Pourtant, elle vit Sam jeter un œil à droite, à gauche, puis poser la main sur la poignée de la porte.

Qui s'ouvrit.

Sam parut surpris, si surpris qu'il lui fallut quelques secondes pour oser entrer. Charlie le regarda disparaître à l'intérieur de la caravane avec un étonnement croissant. Sam, le timide, le discret, l'invisible Sam, venait de braver une interdiction évidente et de mettre les pieds dans un endroit défendu !

– Qu'est-ce qui lui prend ? murmura Charlie.

Elle approcha à son tour de la caravane. La plaque était désormais bien visible :

ENTRÉE STRICTEMENT INTERDITE
AU PUBLIC

Cette histoire devenait vraiment bizarre. Charlie poussa la porte que Sam n'avait pas refermée derrière lui et pénétra dans un couloir. Elle hésita avant de s'engager plus avant. Une petite voix lui soufflait de s'arrêter là, de faire demi-tour... Ce fut sa curiosité qui l'emporta finalement.

Elle remonta le couloir à pas silencieux. À sa droite, elle découvrit une première pièce, meublée sobrement d'une chaise, d'une table pliante sur laquelle traînaient un journal froissé et une paire de lunettes, et des éléments de base d'une cuisine – évier, minifrigo, micro-ondes, plaques de cuisson. La pièce suivante était une chambre, tout aussi spartiate. Quelqu'un vivait donc ici. Mais le plus intéressant était à venir.

Au bout du couloir se découpait une dernière porte, entrouverte. Charlie glissa la tête dans l'entrebâillement. De toute évidence, il s'agissait d'un laboratoire. La salle était spacieuse, dépourvue de fenêtres, faiblement éclairée par des néons. Les murs étaient tapissés de croquis et d'équations mathématiques. Anne aurait sûrement adoré. Sur un établi reposaient un grand écran d'ordinateur et de mystérieux appareils électroniques. Une énorme machine trônait au centre de la salle, qui ressemblait à une cabine d'essayage dotée de deux portes.

La première était ouverte. Charlie avança pour en examiner l'intérieur. Sombre, vide, sans intérêt.

La seconde porte, celle de gauche, était fermée.

Comme Sam n'était nulle part en vue et qu'il n'y avait aucun autre endroit pour se cacher dans la caravane, Charlie en déduisit qu'il était à l'intérieur. Que faisait-il, au juste ? Elle n'en avait pas la moindre idée.

Soudain, elle l'entendit bouger dans la cabine. « Oh non ! » pensa-t-elle. S'il sortait maintenant, Sam la trouverait plantée là comme une quiche, et il comprendrait tout de suite qu'elle l'avait suivi. Or Charlie n'avait pas la moindre envie de s'expliquer face à ce *loser*. Sans réfléchir, elle se glissa dans la cabine vide et ferma la porte.

Plusieurs choses se produisirent alors.

Un : il y eut un déclic métallique. La porte venait de se verrouiller derrière Charlie.

Deux : le sol, sous ses pieds, se mit à vibrer.

Trois : la voix affolée de Sam monta de la cabine voisine :

– Il y a quelqu'un ? Qu'avez-vous fait ?

Elle n'eut pas le temps de répondre. Les néons s'éteignirent brusquement et les vibrations s'amplifièrent. La cabine tremblait à présent comme un animal furieux. Une peur panique s'empara de Charlie. Elle voulut crier, taper de toutes ses forces sur la porte... Au même moment, elle eut l'impression qu'un puissant courant électrique la traversait.

Son corps se raidit, sa vision se brouilla.

Puis, aussi vite que cela s'était produit, tout fut terminé.

La lumière revint, la porte de la cabine pivota en silence. Charlie resta immobile pendant quelques secondes, complètement hébétée. Ses muscles fourmillaient d'une manière désagréable, son esprit était engourdi, même son sens de l'équilibre semblait avoir été affecté...

Et si ça recommençait ?

À cette idée, Charlie bondit hors de la cabine. Mais elle était encore trop secouée : ses genoux se dérobèrent sous son poids, elle faillit tomber.

Elle nota alors un détail bizarre – elle venait de sortir de la cabine de *gauche* ? Puis elle leva les yeux.

Et se retrouva face à elle-même.

D'abord, elle pensa qu'on lui faisait une blague. Après tout, elle se trouvait au beau milieu d'une fête foraine. Peut-être était-ce une illusion, comme les reflets animés sur les miroirs du *Palais des glaces,* ou bien un hologramme ?

Charlie tourna la tête à gauche et à droite. À tous les coups, Lisa et Anne étaient cachées quelque part. Elles devaient bien rigoler ! Charlie aurait dû se méfier de la soudaineté avec laquelle elles avaient disparu.

– C'est pas drôle, murmura-t-elle.

Sa propre voix lui fit l'effet d'une gifle. Elle était rauque, grave... *Masculine.*

Est-ce que ça faisait partie de la plaisanterie ?

– Drôle ? répliqua l'autre Charlie qui, en face d'elle, examinait d'un air désolé la robe bleue qu'il portait. Sûr que c'est pas drôle. C'est bien toi, Charlie ? Bon sang, qu'est-ce qui t'a pris de faire ça ?

Mais de *faire quoi* ?

Elle ne comprenait rien ! Comme si elle lisait dans ses pensées, l'autre Charlie ajouta :

– C'est moi... Sam ! Pourquoi a-t-il fallu que tu entres dans cette machine, hein ?

Un frisson de peur glacée s'insinua en elle.

Sam.

L'espace d'une minute, Charlie l'avait complètement oublié. Elle jeta un œil en direction de la machine – les deux cabines étaient ouvertes et il n'y avait plus personne à l'intérieur. Ses doigts se mirent à trembler.

– C'est pas vrai, dis ? reprit-elle.

La Charlie qui lui faisait face semblait au bord des larmes.

– Si, c'est vrai. Nous venons d'échanger nos corps.

Charlie ne réagit pas tout de suite. Les mots butaient à la porte de son cerveau. Puis elle baissa les yeux et vit ses mains. Elles étaient grandes, noueuses, avec des poils noirs à la naissance des poignets.

Charlie poussa un hurlement, fit demi-tour et se rua hors du laboratoire.

CHAPITRE 4

Charlie n'avait jamais fait de crise de panique auparavant. Ce n'était pas vraiment son style : elle était plutôt calme, souriante et posée. Mais cette fois, elle avait une sacrée bonne raison. Les paroles de l'autre Charlie lui revenaient par bribes, se mêlant au bourdonnement de la machine, à la sensation de vibration sous ses pieds.

C'est moi... Sam !

Charlie respirait trop vite, elle le savait, mais elle n'arrivait pas à dompter ses émotions.

Nous venons d'échanger nos corps.

Elle dévala le couloir comme une furie, jaillit à l'air libre et aspira une grande goulée d'air. La panique ne refluait pas, elle enflait même.

Charlie reprit sa course. Elle ne commandait plus ses jambes, elle les laissait juste la porter loin de cette caravane de malheur. Elle finit par rejoindre l'allée principale. Le flux des visiteurs était toujours aussi dense. Dans la lumière du crépuscule, il ressemblait à un immense serpent, glissant le long de l'allée, butant parfois contre les attroupements qui se formaient au pied des attractions.

Charlie se fondit dans la foule avec soulagement. Personne ne la regardait de travers. Les rires et les exclamations formaient un doux brouhaha, qui calma le ballet fou de ses pensées. Elle avait dû avoir une hallucination... Soudain, elle bouscula une femme qui venait en sens inverse.

– Faites attention, jeune homme ! s'exclama cette dernière avant de disparaître, avalée par la foule.

Charlie se figea net.

Jeune homme ?

Il y eut des protestations dans son dos. Quelqu'un lui heurta l'épaule, la repoussant sur le bord de l'allée. En face d'elle, l'enseigne du *Palais des glaces* clignotait de tous ses néons. Charlie prit une inspiration, se planta devant un grand miroir à côté de la caisse… et découvrit un corps osseux et dégingandé, des fringues atroces, un visage ingrat surmonté d'une tignasse noire, hirsute. *C'est trop absurde*, chuchota une petite voix en elle, *ça ne peut pas être vrai !*

Charlie leva une main jusqu'à son visage et toucha avec appréhension sa joue. Ses doigts suivirent le tracé d'une pommette bien trop large pour être la sienne, montèrent jusqu'à un sourcil épais. Cette fois, elle ne pouvait plus refuser d'affronter la vérité : c'était vrai.

Elle était dans la peau de Sam.

Et, logiquement, Sam devait être dans la sienne.

Pas question de la lui laisser ! Ce fut sa première réaction, et Charlie trouva cette pensée étrangement réconfortante. L'énormité de la situation la frappait toujours, mais elle avait désormais une mission sur laquelle se concentrer : retrouver son corps le plus vite possible.

Elle examina les alentours, maudissant l'accès de panique qui l'avait saisie un peu plus tôt. Au lieu de s'enfuir bêtement, elle aurait dû attraper Sam, le pousser de force dans la cabine et l'obliger à relancer cette affreuse machine ! Ils auraient ainsi récupéré leurs corps respectifs sur-le-champ. Mais tout n'était pas perdu, elle n'avait qu'à retrouver ce crétin.

Elle mit quelques minutes à atteindre la caravane. Sam était-il encore à l'intérieur ? Charlie était sur le point d'entrer quand une main se referma sur son épaule.

– Enfin ! chuchota une voix féminine à son oreille. J'ai eu peur que tu ne reviennes jamais !

Elle fit demi-tour et, pour la deuxième fois de la journée, elle se retrouva face à elle-même.

Le Sam-dans-le-corps-de-Charlie ne lui laissa pas le temps de réagir. Il attira Charlie dans un coin d'ombre, entre une caravane et l'arrière d'une attraction.

– Où étais-tu passée ?! s'exclama-t-il.

Charlie ne répondit pas tout de suite. C'était tellement bizarre de le voir parler... Elle contemplait son propre visage et, pourtant, elle avait l'impression que quelque chose clochait. C'était comme observer un reflet qui avait pris son indépendance dans le miroir, ou un film dans lequel elle n'avait jamais tourné.

– Je... j'ai eu besoin de prendre l'air, bredouilla-t-elle de cette voix grave à laquelle elle ne s'habituait pas.

Sam non plus n'avait pas l'air à l'aise dans sa nouvelle peau. Il n'arrêtait pas de se tordre les doigts – Charlie était certaine de l'avoir déjà vu faire ça, en classe. Voilà qu'il importait ses manies dans son corps à elle !

– Hé, ajouta-t-elle, laisse mes doigts tranquilles.

Sam ne réagit pas.

– Dans quel pétrin on s'est fourrés… gémit-il.

Son affolement était évident.

Charlie refusa pourtant de se laisser une nouvelle fois envahir par la peur. Jusque-là elle avait subi les événements sans comprendre. Sam, lui, semblait savoir exactement de quoi il retournait. Mais, en cet instant, le rapport de force s'inversait.

Elle posa les mains sur ses hanches.

– Attends un peu… J'aimerais bien piger ce qui vient de nous arriver. Alors on va revenir un peu en arrière, OK ? Juste le temps que tu répondes à quelques questions. Primo, attaqua-t-elle, pourquoi es-tu entré dans le laboratoire ? Deuzio, qu'est-ce que c'est que cette machine ? Tertio, qu'est-ce que tu faisais à l'intérieur ?

Sam hésita un instant avant de se lancer :

– C'est une longue histoire. Je suis entré dans la caravane parce que je me doutais que la machine s'y trouvait. Est-ce que tu connais le professeur Atlas ?

Charlie hocha la tête :

– Anne m'en a parlé vite fait. L'homme qui a créé cette fête foraine, c'est ça ?

– Exact, répondit Sam. Autrefois, c'était un scientifique très renommé. Il enseignait dans une célèbre université et dirigeait en parallèle un laboratoire de recherche renommé. Un jour, pourtant, il a décidé de tout plaquer. Atlas voulait utiliser la science pour faire rêver les gens, pour faire renaître le sentiment d'émerveillement et l'espoir dans le futur. Alors il a inventé une fête foraine hors du commun, avec des attractions que personne n'avait jamais vues auparavant. Tout le monde l'a pris pour un fou, évidemment. Sauf que ça a marché.

Sam avait arrêté de maltraiter ses phalanges. Parler le calmait.

– Ces dernières années, continua-t-il, le professeur Atlas s'est fait de plus en plus discret. Ses interventions en public sont devenues très rares. Mais, il y a quelques mois, il a accordé une interview à un petit webzine. Il y parlait de sa nouvelle invention...

– La machine à échanger les corps, comprit Charlie.

Sam acquiesça. Dans la tête de Charlie, les pièces du puzzle se mettaient peu à peu en place.

– OK. Mais ça n'explique pas ce que tu faisais à rôder autour !

Charlie vit son double s'empourprer. C'était bizarre – elle-même ne rougissait jamais. Sam reprit la parole :

– Après avoir lu cette interview, la machine n'est plus jamais sortie de mon esprit. C'était plus fort que moi, j'y pensais tout le temps. Alors, quand j'ai vu que la fête foraine Atlas s'arrêtait dans notre ville... je n'ai pas pu résister, je suis venu. Mais je n'ai pas supporté la foule très longtemps. J'ai fini par m'éloigner, et c'est là que je suis tombé sur le professeur. Il était en train de quitter sa caravane. Je l'ai reconnu tout de suite, malgré son air bizarre et son teint tout pâle. J'avais toujours rêvé de le rencontrer, de discuter avec lui… C'était le moment ou jamais de l'aborder ! Sauf que j'ai tellement hésité qu'il a disparu avant que je me lance. Je me suis senti bête, je te raconte pas. Puis j'ai remarqué quelque chose d'étrange : en partant, le professeur Atlas avait laissé la porte de sa caravane entrouverte… La machine à échanger les corps était forcément à l'intérieur ! C'est à cause d'elle que je suis entré.

– Mais pourquoi ?! s'exclama Charlie. Qu'est-ce que tu lui trouves, à cette stupide machine ?

Sam baissa les yeux. Sa voix était devenue murmure :

– Tu ne peux pas comprendre. Tu es la fille la plus populaire du collège. Tu as des tas d'amis, des fringues à la mode, tout le monde t'apprécie. Quant à moi… Soyons honnêtes, OK ? Je suis un *loser*. Alors, changer de corps, c'était comme un rêve. Je voulais juste voir la machine de plus près, la toucher. Savoir qu'elle existerait un jour, ça m'aurait suffi, tu vois ?

Je ne savais pas qu'elle fonctionnait déjà. Et je n'imaginais pas que tu m'avais suivi. En entrant dans la deuxième cabine, tu as sans le vouloir déclenché le mécanisme… et nous voilà.

Après cet aveu, il y eut quelques secondes de silence. Charlie se sentait triste pour Sam. Il fallait être sacrément mal dans sa peau pour en arriver là. En même temps, elle ne pouvait s'empêcher de lui en vouloir : à cause de lui, ils se retrouvaient dans une galère sans nom ! Un échange de corps, sérieusement ?

– Bon, je ne vois qu'une façon de régler ça, dit-elle. On va attendre le retour du professeur, on lui expliquera ce qu'il s'est passé, puis il nous aidera à récupérer nos…

L'expression de Sam la coupa net. Son regard s'était tout à coup empli d'effroi. Charlie tourna la tête. Une fillette vêtue d'une robe à fleurs, avec de longs cheveux nattés et un sac à dos jaune sur les épaules, venait vers eux.

– Sam ! appela-t-elle d'une petite voix aiguë. (Elle se planta devant Charlie avec un air soulagé.) Je t'avais perdu ! C'est l'heure de rentrer, Maman va s'inquiéter !

Charlie en resta muette de surprise. Qu'est-ce que c'était que cette histoire ?

– Tiens, voilà ta petite sœur ! s'exclama alors Sam. Elsa, c'est ça ?

Il avait pris un drôle de ton. Croisant son regard, Charlie comprit ce qu'il était en train de faire. Mais, avant qu'elle ait eu le temps de réagir, la dénommée Elsa glissa sa main dans la sienne.

– Allez, dit-elle. On y va.

Et elle l'entraîna vers la sortie.

Tandis qu'elle s'éloignait, Charlie entendit Sam bredouiller dans son dos :

– Je... euh... À demain, Sam !

CHAPITRE 5

À *demain* ?

Qu'est-ce que ce crétin avait voulu dire ? Charlie n'avait aucune intention de passer une nuit entière dans une autre peau que la sienne ! La voix d'Elsa la fit revenir à la réalité.

– Ohé ! fit la gamine en tirant sur sa manche. Tu m'écoutes ou quoi ? C'était qui, cette fille ? Tu faisais quoi, avec elle ?

Charlie hésita avant de répondre. Elle n'allait quand même pas lui avouer la vérité... Finalement, elle opta pour le minimum :

– Elle est dans ma classe. Elle s'appelle Charlie.

Sous les néons colorés, le visage d'Elsa s'éclaira :

– Je savais que tu finirais par te faire des amis !

Et sa petite main serra plus fort celle de Charlie, tandis qu'elles franchissaient le portique d'entrée de la fête foraine.

Charlie avait le cerveau en ébullition. En l'espace d'une soirée, elle s'était retrouvée projetée dans un autre corps que le sien, qu'elle devait rapidement apprivoiser – la taille, la démarche, même la vision, qui était un peu plus floue... Et voilà qu'en prime elle se retrouvait forcée de *jouer* le rôle de Sam ! Mais ils avaient beau être dans la même classe, Charlie ne connaissait rien de lui. Sa façon de parler ? Aucune idée : au collège, Sam était muet comme une carpe. Ses centres d'intérêt ? C'était encore pire. Elle l'imaginait vaguement *geek,* passant son temps libre sur son ordinateur. Sa famille ? Néant. Pour ce que Charlie en savait, il pouvait aussi bien vivre entassé dans un minuscule appartement avec ses quinze frères et sœurs que seul au dernier étage d'un manoir délabré.

D'ailleurs, Charlie ne savait pas non plus où Sam habitait.

Ça aurait pu être problématique. Heureusement, Elsa la guida sans même s'en rendre compte. Un vrai poisson-pilote ! La fillette ne lâchait pas sa main et marchait d'un bon pas, sans cesser de babiller. Elle avait dû insister pour que Sam l'emmène avec lui à la fête foraine Atlas, comprit Charlie. Et elle ne le regrettait pas – apparemment, les androïdes du *Manège aux poupées* lui avaient fait une impression inoubliable. Charlie s'aperçut vite qu'elle n'avait pas besoin de parler. Elsa devait être habituée au silence de son frère, car elle n'attendait jamais de réponse.

Elles empruntèrent la passerelle piétonne qui traversait le fleuve. Les lumières de la fête foraine se reflétaient sur la surface sombre de l'eau. Charlie ralentit. Elles s'éloignaient du centre-ville… et de l'appartement familial.

Repenser à son foyer lui fit l'effet d'un électrochoc. Une nouvelle série de questions déferlèrent dans son esprit. Pourquoi s'était-elle laissé entraîner par Elsa ? Qu'allait-elle faire, à présent : se glisser chez Sam en agissant comme si de rien n'était, se débrouiller pour ne pas éveiller les soupçons, puis trouver un moyen de filer en douce ? Et Sam, que faisait-il, lui, pendant ce temps ? Peut-être était-il resté planté devant la caravane du professeur Atlas, à attendre son retour... Ou alors il l'avait imitée. Elle l'imagina en train de chercher son immeuble, s'installer dans sa chambre, se glisser dans *son lit à elle.* Ce n'était pas une pensée très agréable.

Un quart d'heure plus tard, Elsa poussa un portillon métallique, révélant un chemin qui s'enfonçait au milieu d'épais bosquets fleuris. Au bout se dressait une petite maison. Les fenêtres du rez-de-chaussée étaient éclairées. Une ombre passa à travers un carré de lumière, dessinant une silhouette féminine.

– On est un peu en retard, Maman ne va pas être contente, dit Elsa.

La fillette ne semblait pourtant pas inquiète à l'idée d'une réprimande. Elle courut jusqu'au perron, sauta les deux marches avec entrain, puis elle entra. Charlie, elle, resta plantée en arrière.

Elle n'était pas obligée d'entrer dans cette maison inconnue. Elle pouvait encore faire demi-tour. Tout serait plus simple ainsi, non ? Elle patienterait jusqu'au retour du professeur, elle était même prête à passer la nuit devant la porte de sa caravane s'il le fallait...

– Sam ! cria Elsa de l'intérieur. Tu viens ? Il y a des crêpes !

Sans savoir pourquoi, Charlie obéit.

La maison qu'elle découvrit la surprit beaucoup. Jamais elle n'aurait pensé que Sam vivait dans un pareil endroit. Un piano trônait au milieu du salon, entouré d'une vaste bibliothèque. Il y avait des plantes partout, des bougies sur les appuis de fenêtres et, aux murs, une collection de tableaux abstraits aux couleurs éclatantes. Charlie s'arrêta devant l'un d'entre eux, bouche bée. Elle se reprit bien vite, consciente de la bizarrerie de son attitude – on n'était pas censé s'émerveiller de la décoration de sa propre maison !

Une odeur de crêpes et de chocolat chaud flottait dans l'air. Elle entendit Elsa s'agiter dans une pièce voisine, sans doute la cuisine. C'est alors qu'une femme aux cheveux noirs surgit devant Charlie. Il s'agissait forcément de la mère de Sam. C'était drôle, d'ailleurs : elle ressemblait beaucoup à son fils, mais comme une version aboutie de lui, belle et élégante. Elle n'avait pas l'air très contente. Charlie, qui avait l'habitude avec ses propres parents, s'attendait déjà à un sermon sur l'heure qu'il était, son retard, blablabla. Mais la mère de Sam resta silencieuse.

Et, au lieu de parler, elle commença à faire des gestes bizarres.

Charlie faillit froncer les sourcils. Un éclair de lucidité la traversa au même moment. Ce n'étaient pas des gestes bizarres... La mère de Sam s'exprimait en langue des signes !

Si elle avait eu Sam sous la main, elle l'aurait étranglé. Sa mère était malentendante, et ce crétin n'avait même pas pensé à la prévenir. Franchement, comment pouvait-on oublier un détail aussi ÉNORME ? En attendant, elle se retrouvait dans un sacré pétrin. Charlie ne comprenait évidemment rien à la langue des signes. Or, si la mère de Sam s'en apercevait, elle se rendrait vite compte qu'il y avait un problème avec son soi-disant fiston...

Il ne lui restait qu'une solution : improviser. Charlie laissa ses épaules s'affaisser façon Sam et prit un air de chien battu.

– Je suis désolée pour le retard, dit-elle.

Charlie avait parlé à voix haute, en faisant attention à bien articuler. Peut-être que la mère de Sam lisait sur les lèvres ? Son expression se radoucit aussitôt. Oui, elle comprenait ! Charlie retint un soupir de soulagement.

– Je suis crevée, reprit-elle, et j'ai mangé trop de churros. Je vais me coucher, d'accord ?

Sans même attendre de réponse, elle s'engagea dans le couloir qui lui faisait face, croisant les doigts pour que la mère de Sam ne la suive pas.

Au fond du couloir s'élevait un escalier de bois. Elle se força à monter les marches calmement – elle aurait voulu courir, mais la mère de Sam la regardait peut-être. Une fois sur le palier, Charlie s'arrêta. Quatre portes fermées lui faisaient face. L'une donnait forcément sur la chambre de Sam, mais laquelle ? Elle ne voulait pas agir de manière imprudente, il pouvait très bien y avoir quelqu'un à l'étage. Le père de Sam, un frère ou une autre sœur… Elle tendit l'oreille. Aucun bruit qui aurait pu la renseigner.

Elle ouvrit la première porte, qui donnait sur la salle de bains.

La deuxième sur une chambre d'adulte.

La troisième sur une chambre d'enfant – sûrement celle d'Elsa, avec des rideaux roses et des poupées partout.

Charlie ouvrit la quatrième porte. Elle avait trouvé. Là encore, la réalité était très différente de ce à quoi elle s'attendait. La chambre était propre et rangée, loin du repaire d'ado crasseux. Une fenêtre donnait sur le jardin, baigné par la lumière de la lune. Il y avait une étagère couverte de livres, un télescope plié dans un coin, et même une partition de musique abandonnée sur le bureau. Sam était musicien ? Charlie continua son exploration, découvrant toujours plus de détails étonnants sur le garçon dont elle occupait le corps. Deux posters étaient punaisés au mur : une carte des constellations et une représentation de l'*Étoile de la Mort*.

Charlie fit glisser la porte de l'armoire. Ah, là, elle reconnaissait mieux Sam ! Sweats noirs informes, vieilles baskets... Une garde-robe bien pourrie. Puis elle s'installa devant le bureau, où trônait un ordinateur portable couvert de stickers. Elle l'alluma, mais ne put aller plus loin : il lui manquait le mot de passe.

Charlie en fut très frustrée. Elle avait un besoin urgent de parler à Sam, et il était hors de question d'attendre le lendemain ! Elle s'immobilisa soudain. Et si ?... Elle glissa une main dans la poche ventrale du sweat-shirt informe qu'elle portait.

– Bingo ! murmura-t-elle.

Ses doigts s'étaient refermés sur un téléphone portable. Un vieux modèle à clapet – par chance, il n'y avait même pas de code de déverrouillage. Charlie se dépêcha de composer son propre numéro.

Sam décrocha à la deuxième sonnerie.

CHAPITRE 6

– *Allô ?*

Charlie grimaça en entendant la voix de Sam – enfin, la sienne. Elle était aussi aiguë, d'habitude ?

– C'est moi, Charlie, déclara-t-elle. Je viens de rentrer chez toi, je me suis enfermée dans ta chambre. Et toi ? Où es-tu ?

– *Pareil.*

Ça, c'était un bel exploit, car lui n'avait pas eu de petite sœur pour le guider jusqu'à bon port.

– *Je voulais rester devant la caravane, mais je suis tombé sur tes amies Lisa et Anne quelques minutes après ton départ,* expliqua Sam. *Elles râlaient, elles me, euh... te cherchaient depuis un bout de temps. J'ai été forcé de les suivre pour ne pas éveiller leurs soupçons. On est rentrés en bus ensemble. Je n'en menais pas large. Pendant le trajet, j'ai trouvé ton portable dans ton sac. Heureusement qu'il se déverrouille grâce à ton empreinte digitale ! J'ai discrètement fouillé dans tes applications et j'ai déniché un GPS qui enregistrait tous tes déplacements. Je n'ai eu qu'à isoler les plus fréquents pour déterminer ton adresse.*

Charlie fut impressionnée.

– Pas mal, Sherlock ! Et ensuite ?

– *Les clés de ton immeuble étaient aussi dans ton sac. J'ai trouvé l'étage et le numéro de ton appartement sur la boîte aux lettres. Je n'ai croisé personne chez toi. Il y a quelqu'un dans la pièce à côté, je crois, mais je ne sais pas qui c'est.*

– Ma sœur. Elle s'appelle Alice et elle n'est pas super-agréable. Évite-la tant que tu peux, OK ? Quant à mes parents, ils rentrent souvent tard, tu devrais être tranquille. Anne et Lisa ne se sont doutées de rien ?

Il y eut un blanc.

– *Je crois qu'elles m'ont trouvé bizarre*, finit par avouer Sam. *En même temps, je ne pouvais pas trop parler... Je ne sais pas comment réagissent les filles dans votre genre, tu comprends ? J'avais peur de dire ou de faire une bêtise.*

– Les filles dans notre genre ? répéta Charlie.

Silence embarrassé.

– Bon, laisse tomber, reprit-elle, je suis devant ton ordi et j'ai besoin de ton mot de passe.

– *Hein ? Pour quoi faire ?*

– Skype, crétin ! Ce sera plus pratique.

Charlie comprit vite pourquoi Sam avait rechigné. *DarkSamor15*, ça craignait comme mot de passe ! Elle lui transmit elle aussi ses codes. *Note pour moi-même : changer tous mes identifiants dès que j'aurai retrouvé mon corps.* Deux minutes plus tard, une fenêtre s'afficha à l'écran, et elle vit apparaître son propre visage.

– Bon, qu'est-ce qu'on fait ? attaqua aussitôt Charlie. On retourne tout de suite à la fête foraine et on met la main sur ce fichu professeur ?

Elle était déjà prête à partir. Mais Sam secoua la tête, avec un air désolé qui n'annonçait rien de bon.

– *Trop tard. Les portes ferment dans dix minutes. On n'a pas le choix : il faut attendre demain matin.*

Charlie étouffa un gémissement de désespoir. Elle était donc coincée ici pour la nuit…

– Dans ce cas, soupira-t-elle, j'imagine qu'on a plein de choses à se dire…

Ils discutèrent longtemps. Ils avaient tant à s'expliquer ! Décrire sa vie et son quotidien en détail à un quasi-inconnu, ça n'était pas si facile.

Peu à peu, Charlie put se faire un portrait plus précis de Sam.

Comme elle, il n'avait qu'une sœur, Elsa – mais contrairement à Charlie et à Alice, eux s'entendaient très bien. Ses parents étaient séparés depuis cinq ans, et son père vivait à plusieurs centaines de kilomètres. Ils se voyaient donc rarement, ce qui n'avait pas l'air de déranger Sam. Ainsi que Charlie l'avait deviné, sa mère était sourde. À la maison, tous trois s'exprimaient en langue des signes. Sam lui montra quelques gestes de base. Charlie les répéta consciencieusement. Elle espérait ne pas avoir à s'en servir, mais on ne savait jamais. Elle détestait être prise au dépourvu.

– *Quelqu'un vient*, chuchota soudain Sam.

– Ma mère, répondit Charlie. Elle devait avoir une soirée. Elle aime bien vérifier que je ne traîne pas toute la nuit sur Internet. On se retrouve demain à huit heures trente à l'entrée de la fête foraine ?

Ça tombait bien : le samedi, ils n'avaient pas cours.

– *Ça marche*, dit Sam.

Puis il coupa la connexion. Charlie éteignit l'ordi.

Il était vingt-trois heures. Demain, cette histoire absurde serait terminée. Elle retrouverait son corps, sa chambre, ses habitudes. Elle avait hâte ! En attendant, elle n'avait pas envie de dormir. Trop de pensées s'agitaient sous son crâne. Charlie ouvrit la porte de la chambre. Après avoir vérifié que la voie était libre, elle se faufila jusqu'à la salle de bains, tourna le verrou et se planta devant le miroir.

C'était toujours aussi perturbant de se retrouver face au reflet de Sam. Elle passa une main dans ses cheveux. Ils étaient gras sous ses doigts. Sam ne les lavait jamais, ou quoi ? Cette idée en amenant une autre, Charlie se décida à ôter son sweat. Dessous, il y avait un tee-shirt délavé. Elle l'enleva à son tour, découvrant un torse aussi maigre que pâle. Ah, on était loin des pectoraux musclés et bronzés de ses chanteurs préférés ! Elle leva un bras, renifla... Beurk, pas terrible. Charlie trouva un morceau de savon et un flacon de shampoing sur le rebord de la baignoire. Elle se débarbouilla rapidement et lava ses cheveux au-dessus du lavabo. Elle n'avait aucune envie de quitter son pantalon. Manque de chance, sa vessie n'était pas du même avis.

Charlie hésita pendant ce qui lui sembla une éternité, tournant en rond dans la petite salle de bains. Lorsque le besoin se fit trop pressant, elle se décida enfin. Elle prit une profonde inspiration, et d'un même mouvement, elle... fermalesyeuxtirasursonpantalonselaissa tombersurlacuvettedestoilettes et imagina de toutes ses forces qu'elle était loin, très loin de là.

Un quart d'heure plus tard, elle se glissait dans le lit de Sam. Une pensée tournait encore dans sa tête lorsqu'elle s'endormit : *Pourvu que tout ça n'ait été qu'un cauchemar et que je me réveille dans ma chambre demain matin !*

CHAPITRE 7

Ce fut la caresse d'un rayon de soleil sur sa joue qui tira Charlie de son sommeil. Elle se retourna, enfouit sa tête sous l'oreiller en grommelant. Au même instant, une pensée traversa son esprit à demi assoupi : pourquoi n'y avait-il aucun bruit ? La rumeur familière de la rue, qui la berçait le soir et la réveillait le matin, avait disparu. Cette absence était si perturbante que Charlie ouvrit les yeux. Le décor qu'elle découvrit lui sembla totalement étranger.

Des murs bleu clair.

Une affiche de *Star Wars*.

Une fenêtre derrière laquelle s'agitaient les branches d'un cerisier.

Où était-elle ? Pendant quelques secondes, Charlie fut incapable de répondre à cette question. Puis les souvenirs affluèrent. La fête foraine, Sam qui s'introduisait dans la caravane du professeur Atlas, la machine, le changement de corps... Charlie cligna des paupières, mais le monde qui l'entourait resta le même. Ce n'était donc pas un cauchemar. À la lumière du jour, pourtant, cette histoire semblait très difficile à croire.

Charlie repoussa ses draps, se redressa. Le réveil sur la table de chevet indiquait 7:45 en grands chiffres rouges. Elle eut un brusque sursaut d'énergie en lisant l'heure. Elle avait rendez-vous avec Sam à huit heures trente ! Charlie sauta hors du lit et se précipita sur l'armoire, l'ouvrant à la volée. Ce n'était pas une garde-robe que Sam avait là, c'était un musée des horreurs ! Elle écarta du bout des doigts une pile de pulls élimés, fouilla dans la maigre collection de tee-shirts et dégotta finalement celui qui devait être le moins pire. Pour le bas, c'était plus facile, elle avait gardé le pantalon qu'elle portait la veille.

Cinq minutes plus tard, Charlie sortait de la chambre. C'était l'aspect positif, quand on n'avait *vraiment* rien à se mettre : on gagnait une demi-heure. Elle s'arrêta sur le palier, tendit l'oreille. La maison était silencieuse. La famille de Sam était encore endormie. Tant mieux ! Elle parcourut le couloir à pas de loup. Au moment où elle passait devant la dernière porte, une latte de parquet grinça sous ses pieds. Charlie se figea... avant de se rappeler que la mère de Sam était sourde.

Pratique, songea-t-elle.

Elle se mordit les lèvres, s'en voulant de cette pensée.

Charlie fut bientôt dehors. Le ciel était d'un bleu pur et sans nuages, et le jardin embaumait. Elle referma le portillon métallique dans son dos.

Charlie vit à peine passer les vingt minutes de marche qui la séparaient de la fête foraine Atlas : elle réfléchissait.

À la situation improbable dans laquelle elle se retrouvait, bien sûr, mais aussi à la chance de son existence. Être dans la peau de Sam la forçait à admettre qu'elle était une fille particulièrement gâtée. Ses parents étaient généreux. Ils travaillaient beaucoup, alors peut-être était-ce une manière de compenser leurs fréquentes absences... Quoi qu'il en soit, il suffisait à Charlie de réclamer pour avoir ce qu'elle voulait. Vêtements, sac à la dernière mode, téléphone portable...

Lorsque les choses seraient revenues à la normale, Charlie changerait de comportement avec Sam, se promit-elle. Elle n'irait peut-être pas jusqu'à lui parler – il ne fallait pas exagérer ! – mais elle ne se moquerait plus de son accoutrement.

À cette heure matinale, la fête foraine avait une tout autre allure. Les allées étaient désertes, les attractions fermées, les lumières et les musiques éteintes. On n'entendait plus que le chant des oiseaux. Charlie évita un robot nettoyeur qui remontait une allée en aspirant les détritus abandonnés par les visiteurs de la veille – papiers gras, ballons éclatés, grains de pop-corn esseulés. Sous ses petites roues crantées, les dalles colorées s'allumaient d'une pâle lumière bleue.

Elle repéra Sam de loin. Il lui tournait le dos, les épaules voûtées. Charlie étant Charlie, elle s'intéressa en priorité au choix de ses fringues. Étonnamment, le résultat n'était pas si horrible que ça : jean noir, pull assorti, Converse blanches. Ça ne respirait pas la joie de vivre, mais elle s'était attendue à pire. La catastrophe avait eu lieu, en revanche, au niveau des cheveux. Sam avait osé les relever en deux couettes hautes. C'était sans doute très mignon sur Elsa, sept ans ; moins sur Charlie, quatorze.

– Dis donc, s'exclama-t-elle en le rejoignant, tu vas m'enlever ces élastiques tout de suite !

Sam s'était retourné en l'entendant arriver. Devant son teint blême, Charlie sentit son sang se glacer.

– Il y a un problème ?

– Je crois, oui, murmura-t-il. La porte de la caravane est toujours ouverte.

Ce qui ne pouvait signifier qu'une chose : le professeur Atlas n'était pas rentré depuis la veille. Ce n'était pas normal. C'était même complètement effrayant. Où était-il passé ? Sam n'en savait rien et, vu sa tête, il était déjà en train d'imaginer le pire.

– On entre, décida alors Charlie. On n'a qu'à récupérer nos corps nous-mêmes.

– Quoi ?

Elle ne prit pas la peine de répéter et fonça vers la porte de la caravane. Sam mit un peu plus de temps avant de se décider – ce qui agaça beaucoup Charlie. C'était *hier* qu'il aurait dû hésiter ! Ils ne se seraient pas retrouvés dans cette situation.

Dans la caravane, rien n'avait bougé. Les lunettes et le journal étaient toujours à leur place, le lit n'avait pas été défait, et la machine à échanger les esprits ronronnait doucement dans le laboratoire. Charlie s'approcha pour l'examiner. Un bruit de pas dans son dos lui fit savoir que Sam l'avait suivie.

– Est-ce que tu as fait quelque chose de particulier, quand tu étais dans la cabine ? demanda-t-elle.

– Non, je me suis contenté d'observer la machine. Je crois qu'elle s'est déclenchée d'elle-même au moment où tu es entrée.

– OK, répliqua Charlie en lui indiquant la cabine de droite. Réessayons !

Sam se glissa à l'intérieur sans broncher, tandis que Charlie mettait les pieds dans la cabine voisine. Elle ferma les yeux, s'attendant à ce que la machine se réveille et se mette à vibrer furieusement… Mais rien ne se produisit. Les deux portes restèrent désespérément ouvertes.

– Ça n'a pas l'air de marcher, remarqua Sam de l'autre côté.

– Tu as un sens de l'observation hyper-développé, dis donc !

– Attends une seconde… Il y a un tableau de commande à l'arrière de la machine, je vais y jeter un œil.

Charlie entendit Sam sortir de sa cabine.

– Il y a plusieurs boutons qui clignotent, reprit-il. J'en vois un qui ressemble à un interrupteur de mise en marche. Je vais l'actionner.

– Euh, tu es sûr ?! s'exclama Charlie, inquiète.

– Qui ne tente rien n'a…

Il fut interrompu par un grésillement de très mauvais augure. Charlie sursauta. La machine s'était mise à bouger ! Sauf que ce n'était *pas du tout* comme la dernière fois. Charlie sauta hors de la cabine quand des étincelles bleues jaillirent à ses pieds. La machine faisait à présent un bruit de cocotte-minute, elle tressautait sur son socle, si fort que Charlie craignit un instant qu'elle ne se renverse.

– Arrête tout, Sam ! cria-t-elle.

Trop tard.

Il y eut une détonation sourde et, dans une nouvelle gerbe d'étincelles digne d'un mini-feu d'artifice, la machine s'arrêta pour de bon.

CHAPITRE 8

Un mince filet de fumée blanche s'échappait de la machine à échanger les corps. Charlie le regardait monter jusqu'au plafond, bouche bée. Elle n'en revenait pas. Tout s'était passé si vite... Quelques secondes avaient suffi pour étouffer ses espoirs de retour à la normale. Ses jambes tremblaient, et elle dut s'adosser à un mur pour ne pas glisser au sol.

Sam avait reculé pour contempler le désastre, lui aussi.

– Tu as cassé la machine, murmura Charlie. Tu l'as cassée !

– Je suis désolé, je ne pensais pas que...

Il ne termina même pas sa phrase, lui renvoyant à la place un regard de chien battu.

Et voilà qu'il rougissait à nouveau ! Cette fois, cela énerva Charlie, l'énerva *terriblement.* Quand Sam s'en aperçut, son expression se décomposa encore un peu plus – comment était-ce possible, d'ailleurs ? Charlie avait-elle un jour eu l'air aussi misérable ? Non, elle ne le croyait pas. Même dans ses pires disputes avec sa sœur, elle se débrouillait pour rester digne, *elle.*

– Charlie, je suis vraiment...

– Désolé ? le coupa-t-elle. Tu l'as déjà dit ! Arrête un peu avec tes excuses, ça ne m'aidera pas à récupérer mon corps, que je sache !

Elle se massa les tempes. Ses yeux brillaient de colère.

– Tu as fait exprès d'appuyer sur ce bouton, pas vrai ? ajouta-t-elle. Ça te plaît, de quitter ta vie pourrie et de prendre la mienne !

À cet instant, Sam fit quelque chose qui la surprit beaucoup : il releva la tête, avança jusqu'à ce que seuls dix centimètres séparent leurs deux visages et planta son regard dans le sien.

– Ça me plaît ? répéta-t-il. Parce que tu crois vraiment que je suis content de la situation ? Oh, je vois : Mademoiselle se trouve tellement supérieure qu'elle pense que, si j'avais eu le choix, c'est sa vie à elle que j'aurais souhaitée ! Mais tu sais quoi, Charlie ? PAS DU TOUT ! (Il avait presque crié.) Tu es peut-être populaire, mais ça ne fait pas de toi quelqu'un d'intéressant !

Ce que Sam exprimait là, c'étaient des années de frustration, de rancœur, de tristesse accumulées. Charlie en resta un instant muette de stupeur. Elle baissa les yeux, remarqua qu'il se massacrait à nouveau les doigts à coups de torsions impossibles. *Fais gaffe à mes doigts*, pensa-t-elle très fort. Et soudain, sa colère retomba. Elle sentit un éclat de rire qui montait, chatouillant sa gorge, aussi irrépressible que l'avait été sa colère quelques secondes plus tôt.

– Sérieux ? dit-elle. Tu n'aimes pas ça, être dans le corps d'une fille superficielle et pourrie gâtée ?

Déstabilisé par ce brusque changement de ton, Sam hésita, puis s'autorisa un sourire.

– Bof. Et toi, ta nouvelle vie de *loser* mal fringué ?

– Je cherche encore les avantages, répliqua Charlie. À part les quinze centimètres supplémentaires, je veux dire.

Ils éclatèrent ensemble d'un rire nerveux.

– Sortons d'ici, reprit-elle. J'ai besoin de respirer un peu d'air frais.

Alors qu'ils reprenaient leurs esprits à l'extérieur, Charlie remarqua une silhouette au coin de l'allée. C'était un forain, cheveux longs noués en catogan et salopette bleue. Par chance, il n'avait pas vu les deux ados se glisser hors de la caravane. Il s'arrêta devant une attraction et commença à relever le rideau métallique. Charlie ne prit pas le temps de réfléchir, s'élançant dans sa direction.

– Monsieur ? Pardon, je suis à la recherche

du professeur Atlas. Sauriez-vous où je pourrais le trouver ?

Le forain s'était retourné, l'air méfiant. Charlie vit son expression se renfrogner, puis devenir franchement hostile à mesure qu'il la scannait du regard.

– Qu'est-ce que tu lui veux, au prof ? la coupa-t-il. Dégage, gamin !

Elle aurait dû revenir à la charge, mais ce mépris violent, cette antipathie si directe l'avaient secouée. Charlie n'avait pas l'habitude de se faire rembarrer ainsi. Elle se détourna, les mains tremblantes.

Elle revenait sur ses pas quand elle comprit.

Ce n'était pas elle que le forain avait virée, c'était Sam, l'ado au physique ingrat. Après tout, c'était déjà comme cela que ça se passait au collège, et il n'y avait pas de raison que cela change avec les adultes. Charlie venait pour la première fois d'être victime du délit de sale gueule.

– Bon, à ton tour, dit-elle en rejoignant Sam. Demande-lui où se trouve Atlas.

– Hein ?! T'as vu comme tu t'es fait jeter ?

Elle l'attrapa par les épaules et le poussa en avant :

– Fais-lui un beau sourire, papillonne un peu des cils et prends une petite voix fragile. T'inquiète, ça va marcher. Je te parle d'expérience !

Sam se dirigea vers le forain avec l'enthousiasme d'un condamné allant à la guillotine. Pourtant, à l'instant où il l'aperçut, le bonhomme sembla se dérider et il répondit sans problème à la question de Sam.

– Alors ? fit-elle lorsque Sam revint.

– T'avais vu juste, il m'a parlé ! (Il avait l'air tout étonné d'avoir réussi.) Mais on avait raison de s'inquiéter. Le professeur Atlas a fait un malaise hier soir. C'est pour ça qu'il ne semblait pas dans son assiette quand je l'ai vu... Sûrement pour ça aussi qu'il a laissé sa caravane ouverte. Bref, il a été conduit à l'hôpital en urgence.

– C’est grave ?

Sam haussa les épaules. Il n’en savait rien. Charlie tourna aussitôt les talons.

– Hé ! cria-t-il. Où est-ce que tu vas ?

– À ton avis ?

CHAPITRE 9

Il n'y avait qu'un seul hôpital en ville, et il était à seulement vingt minutes de marche de la fête foraine. Charlie et Sam entrèrent dans le hall d'accueil d'un pas timide. Derrière le comptoir, une femme pianotait sur un clavier d'ordinateur.

– À toi de jouer, murmura Charlie en se penchant vers Sam. Tu es la petite-fille du professeur Atlas et tu es venue dès que tu as su que ton pauvre grand-père avait fait un malaise. Allez, hop !

Elle le propulsa en avant d'un coup d'épaule. Sam se planta devant le comptoir et répéta ses paroles d'un ton incertain. Heureusement, la femme ne posa pas davantage de questions.

– Chambre 207, indiqua-t-elle.

Charlie et Sam empruntèrent un long couloir immaculé, jusqu'à trouver la bonne porte. Elle prit une inspiration avant de frapper.

– Entrez, fit une voix masculine, de l'autre côté.

Les deux adolescents obéirent.

Ça y était, songea Charlie en pénétrant dans la chambre 207, ils l'avaient face à eux! L'homme dont ils avaient tellement besoin, celui sur qui reposaient à présent leurs derniers espoirs...

Le professeur Atlas était allongé dans son lit, vêtu d'une fine blouse verte. Ses cheveux blancs, tout décoiffés, lui donnaient un air de savant fou. Mais très affaibli, le savant fou, avec son teint de papier mâché et ses cernes immenses. Une perfusion était plantée dans le creux de son coude, reliée à une poche remplie d'un liquide transparent. Le regard qu'il leva sur Charlie et Sam était un peu trouble.

– Qui êtes-vous ? dit-il. Je vous connais ?

– Non, répondit Sam. Mais nous avons désespérément besoin de votre aide, professeur. Je pense que vous allez vite comprendre... Je m'appelle Samuel, et voici mon amie Charlie.

Les yeux d'Atlas se posèrent successivement sur les deux adolescents. D'abord, il ne parut pas saisir. La jeune fille s'appelait Samuel ? Peut-être avait-il mal entendu leurs prénoms, sembla-t-il se dire. Puis ses paupières s'étrécirent tandis qu'il murmurait :

– La machine...

Sam hocha la tête. L'instant suivant, il entamait son récit, racontant leur histoire dans ses moindres détails. Le professeur ne l'interrompit pas. Il se contentait de fixer le plafond, l'expression vague – est-ce qu'il les entendait, au moins ? Charlie n'en était même pas sûre, et ce constat l'emplit d'angoisse. Mais, lorsque Sam eut terminé, Atlas ferma les yeux, comme pour réfléchir plus intensément.

Enfin, sa conclusion tomba :

– Ouille !

Ce n'était pas exactement ce à quoi Sam et Charlie s'étaient attendus. Ils échangèrent un regard inquiet.

– Ouille ? répéta Charlie.

– Ouille, confirma le professeur Atlas. Ma machine n'était pas tout à fait prête. Il y avait notamment ce... euh... dysfonctionnement, que je n'avais pas encore réglé.

– Quel genre de dysfonctionnement ? s'exclama Sam.

– Le changement de corps, répondit Atlas. Il devient définitif au bout de soixante-douze heures.

– C'est impossible !

Charlie en avait crié d'horreur. Un sablier géant s'était matérialisé dans son esprit, et elle pouvait presque voir les grains de sable qui s'écoulaient derrière les parois transparentes. *Soixante-douze heures !*

Combien en avaient-ils déjà gaspillé ? Plus d'une douzaine !

– Mais qu'allons-nous faire ? gémit-elle.

Et ce professeur qui ne paraissait même pas s'inquiéter ! Il continuait de balader son regard sur l'un puis sur l'autre, avec l'air de celui qui assiste à une expérience formidable. Il haussa les épaules :

– À part attendre, je ne vois pas. Le médecin refuse de me laisser rentrer chez moi pour le moment.

Charlie était prête à l'enlever pour le ramener de force à sa caravane. Sam, lui, s'approcha de la table de chevet du professeur. Un stylo et un journal ouvert sur une page de mots croisés traînaient là. Il s'en empara et nota quelque chose sur le papier froissé.

– Voici mon numéro, professeur. Pourriez-vous nous appeler dès que vous serez libre de sortir ?

Puis, voyant que Charlie était sur le point d'exploser, il l'attrapa par le bras et l'entraîna vers la sortie.

– On est foutus, déclara Charlie, lugubre, lorsqu'ils quittèrent l'hôpital.

Sam secoua la tête.

Avant de sortir, il avait trouvé une infirmière et l'avait interrogée sur l'état du professeur Atlas. Elle avait été très rassurante : selon elle, le vieil homme ne tarderait pas à rentrer chez lui.

– Le prof a raison sur un point, conclut-il. On n'a pas d'autre choix qu'attendre.

La révélation d'Atlas les avait toutefois profondément ébranlés. Ils trouvèrent un banc dans un square calme et s'y laissèrent choir. Ils n'avaient pas envie de se séparer pour le moment, ils s'en rendaient compte : ils avaient trop besoin de parler. De leur rencontre avec le professeur, bien sûr, de la machine, de ces moins de soixante-douze heures qui leur paraissaient si menaçantes…

Mais, au bout d'un moment, la conversation dévia sur un terrain plus personnel.

– J'ai vu des partitions dans ta chambre, dit-elle. Tu es musicien ?

– Plus ou moins. C'est ma mère qui m'a poussé, quand j'étais plus jeune. Elle a perdu l'audition quand elle avait seize ans. Tout ce qu'elle a gardé de la musique, ce sont des souvenirs un peu magiques. Alors, Elsa et moi, on a eu droit à l'école de musique dès qu'on a été en âge d'apprendre le solfège.

– Et tu aimes ça ?

Sam haussa les épaules.

– Bof. C'est pas tellement mon truc... Elsa, elle, est une espèce de mini-Mozart, tu l'entendrais jouer ! Mais moi, je suis un pianiste atroce. Heureusement que Maman est sourde, en fait, ajouta-t-il avec une grimace.

Charlie eut un sourire.

– Tu as l'air de bien t'entendre avec ta sœur, remarqua-t-elle.

Il hocha la tête puis, comme s'il avait noté la pointe de jalousie dans sa voix, il ajouta :

– Tu ne peux pas en dire autant de ton côté, si j'ai bien compris ?

– T'as bien compris, répondit Charlie, la mine assombrie. Alice et moi, ça a toujours été compliqué. Déjà, gamines, on ne se supportait pas plus de dix minutes. On rendait nos parents dingues ! Il faut dire qu'on n'a pas grand-chose en commun, toutes les deux. Alice, c'est l'intello de la famille, et moi… je suis la fille jolie et sympa, je suppose.

– C'est un peu réducteur, intervint Sam.

– Tu trouves ? Un jour, j'ai entendu la voisine du dessous qui parlait de nous : « Le cerveau d'un côté, le joli minois de l'autre », qu'elle disait. C'est sûrement stupide, j'aurais pas dû y faire attention – c'était une vieille sorcière, cette bonne femme –, mais ça m'a blessée quand même.

– Tu m'étonnes. C'est hyper-violent !

Charlie n'avait jamais parlé de cet épisode à quiconque. Elle n'y pensait pas souvent non plus, mais prononcer ces mots à voix haute lui fit prendre conscience qu'ils l'avaient profondément marquée. La réaction de Sam la réconforta plus qu'elle ne l'aurait cru. Il continua :

– Peut-être qu'Alice a entendu la vieille sorcière et peut-être que ça l'a blessée, elle aussi.

Charlie fronça les sourcils. Elle allait protester, dire qu'Alice était une dure à cuire, qu'elle se fichait de ce qu'on pensait d'elle, qu'elle était aussi solide et froide qu'un bloc de marbre, et puis... et puis elle se tut.

– Je n'y avais jamais pensé, finit-elle par murmurer.

– C'est dur d'être un ado « moche », soupira Sam en formant des guillemets avec ses doigts. On fait comme si cela ne nous touchait pas, on se persuade que ça s'améliorera avec les années mais, en attendant, c'est la galère. Et je sais de quoi je parle !

Jamais Charlie n'aurait pensé avoir un jour une conversation aussi intéressante, aussi intime avec quelqu'un de son âge – et encore moins avec Sam, avec qui elle n'aurait jamais pensé avoir une conversation *tout court*.

Soudain, il glissa une main dans la poche de son jean et en extirpa le téléphone portable flambant neuf de Charlie.

– Quelqu'un m'appelle. C'est... (il blêmit) Anne !

Charlie faillit lui arracher le téléphone. Sauf qu'elle ne pouvait pas parler à son amie avec sa grosse voix masculine.

– Ben, qu'est-ce que t'attends ? Vas-y ! s'exclama-t-elle. Décroche !

Sam s'exécuta à contrecœur. Elle l'écouta répondre à Anne, grimaçant de le voir si coincé.

– Quoi ? s'affola Sam. Le centre commercial, cet après-midi ? Avec toi et Lisa ?

Les yeux de Charlie s'agrandirent. Comment avait-elle pu oublier ça ? C'était le rendez-vous traditionnel du samedi pour les trois amies !

– DIS OUI ! articula-t-elle en sautillant dans le champ de vision de Sam. DIS OUI !

– Euh, OK, finit-il par lâcher. Oui, c'est ça, à tout à l'heure...

Il raccrocha, arborant une expression qui flirtait avec la panique pure.

– Mais qu'est-ce que je vais bien pouvoir faire dans un centre commercial avec tes copines ?

– Du shopping, répliqua Charlie. Grâce à l'argent que ma mère acceptera gentiment de te donner à midi. Je sais, je suis horriblement superficielle, mais que veux-tu... C'est mon moment préféré de la semaine !

– Tu... tu seras là ?

Évidemment que Charlie serait là. Elle n'allait tout de même pas le laisser acheter n'importe quoi !

CHAPITRE 10

Ils décidèrent de retourner chez « eux » pour déjeuner. Plus exactement, ce fut Sam qui décida à la place de Charlie, car cette dernière appréhendait de se retrouver face à Elsa et à sa mère.

– C'est facile pour toi, dit-elle. Il n'y aura sans doute personne à l'appart, comme d'habitude. Mais moi... Attends, j'ai une idée. Et si j'envoyais un SMS à ta mère pour lui dire que je mange chez des amis ?

– Je n'ai pas d'amis, répliqua Sam.

– Ou alors que je suis sortie faire du sport ?

Il lui jeta un coup d'œil en biais.

– J'ai l'air d'un sportif ? Écoute, Charlie, tu dois y aller. Je n'ai pas tellement l'habitude de sortir, et ma mère va s'inquiéter si tu ne te montres pas.

– OK, OK, murmura Charlie dans un soupir.

Quelques minutes plus tard, leurs chemins se séparèrent. Charlie regarda avec nostalgie sa propre silhouette s'effacer au loin, puis elle s'appliqua à traîner autant que possible en route. Le soleil faisait rougir la peau pâle de ses bras. Ça la fit ricaner. Elle allait rendre son corps à Sam avec un supplément coup de soleil !

Charlie franchit le portillon métallique et s'engagea dans l'allée qui conduisait à la maison de Sam, flânant un peu entre les massifs de fleurs. Le jardin était vraiment joli. Une pointe de jalousie s'infiltra dans son esprit. Dans l'appartement familial, il n'y avait qu'un minuscule bout de terrasse, tellement étroit que personne n'y mettait jamais les pieds. Si Charlie avait eu un jardin pareil, elle aurait passé des heures à bronzer dans un transat !

C'est alors qu'elle entendit la musique. Elle était encore à quelques mètres de la maison, mais la mélodie s'écoulait de la fenêtre ouverte du salon, douce, légère, magnifique. Irrésistiblement attirée, Charlie marcha jusqu'au perron et poussa la porte d'entrée.

Elsa était installée derrière le piano. La fillette avait les yeux fermés. Une intense concentration tendait ses traits. Charlie l'écouta jouer, une émotion bizarre montant en elle. Elle n'avait pourtant pas l'habitude de la musique classique – elle était plutôt du genre à passer en boucle sur son iPod les dernières chansons à la mode, aussi fort que possible. Mais là... quelque chose dans ce morceau l'émouvait drôlement. Soudain, elle eut l'impression d'être observée.

Charlie tourna la tête. La mère de Sam était là, adossée à la porte de la cuisine, et elle la fixait avec un sourire radieux. Elle écoutait à sa manière, comprit Charlie : en lisant sur le visage de son fils les émotions provoquées par la musique d'Elsa.

Lorsque la fillette termina son morceau, Charlie applaudit franchement.

– Oh, tu as aimé ? s'exclama Elsa.

– Est-ce que j'ai aimé ? répliqua Charlie-dans-le-corps-de-Sam. C'était dément !

Elsa courut jusqu'à elle, ravie, et la serra dans ses petits bras. Charlie ne savait pas trop que faire face à une telle démonstration d'affection – elle n'en avait pas l'habitude. Elle lui caressa les cheveux, avant de se dégager maladroitement et de monter rejoindre la chambre de Sam. Ce dernier aurait-il réagi ainsi ? Oui, elle le pensait.

Charlie referma la porte dans son dos et prit une longue inspiration. Plus que deux heures à attendre ici ! Ensuite, il serait temps de filer au centre commercial. Elle passa un bref coup de téléphone à Sam, qui avait grandement besoin d'instructions vestimentaires – s'il osait lui refaire le coup des couettes, Anne et Lisa flaireraient illico l'arnaque. Puis elle s'installa devant son ordinateur. Qu'avait-elle de mieux à faire que de traîner sur Facebook en attendant le déjeuner ? Le profil de Sam s'afficha sous ses yeux. Elle le trouva affreusement triste. Sam avait à peine douze « amis », et une image de Yoda en guise de photo de profil.

Prise d'une inspiration subite, Charlie entra son propre nom dans le moteur de recherche, puis elle cliqua sur le bouton « ajouter ». Elle se déconnecta ensuite, entra ses identifiants personnels et n'eut plus qu'à accepter l'invitation.

Voilà, Charlie et Sam étaient devenus « amis ». Ses copains allaient bien rigoler quand ils le découvriraient. Mais elle s'en fichait.

CHAPITRE 11

Le déjeuner ne fut pas l'épreuve terrible à laquelle elle s'était attendue. Lorsque Charlie descendit, la table était déjà dressée – pas de moment gênant où elle fouillerait tous les placards pour chercher désespérément les couverts –, et elle n'eut même pas à ouvrir la bouche : Elsa s'occupa de la partie animation pendant le repas entier, dans un mélange de babillages enthousiastes et de signes à l'intention de sa mère.

La seule chose qu'on semblait attendre de Charlie, finalement, c'était de dévorer le contenu de son assiette et de se resservir deux ou trois fois. Ça ne la dérangeait pas car, en récupérant le corps de Sam, elle avait aussi hérité d'un solide appétit. Puis elle fila sans demander son reste. Le centre commercial était à un quart d'heure de bus. Charlie et Sam étaient censés s'y retrouver les premiers : de cette manière, elle pourrait lui transmettre ses dernières instructions avant l'arrivée de Lisa et d'Anne.

Lorsque Charlie descendit du bus, Sam était déjà sur place. Il faisait les cent pas à l'entrée du centre commercial, l'air incroyablement stressé.

– Relax, s'exclama-t-elle en le rejoignant. C'est un après-midi shopping, pas un tournoi de boxe ! Et tu es super bien fringué, bravo.

Sam bredouilla quelque chose du genre :

« Jepréféreraislaboxeàunaprèsmidiavec tescopinesc'estmoinsrisquéc'estsûr. »

– Ma mère t'a donné combien ? reprit Charlie.

Il fouilla dans la poche de son jean et en tira plusieurs billets froissés. Charlie les compta.

– Tout ça ? siffla-t-elle, impressionnée. Mais comment t'as fait ? Tu l'as hypnotisée ou quoi ?

Même en réclamant de toutes ses forces, Charlie n'obtenait généralement que la moitié de ce que Sam venait de récupérer.

– En fait, j'ai juste, euh... oublié de demander quoi que ce soit, répondit Sam. Ta mère m'a rattrapé alors que j'étais dans les escaliers. Elle a dit qu'elle était inquiète pour moi, qu'elle m'avait trouvée soucieuse au repas, et puis elle m'a tendu l'argent.

– C'est bon à savoir, murmura Charlie.

Elle empocha deux billets, rendant le reste à Sam. Il ne fit aucun commentaire. Charlie en profita pour le rassurer : elle le suivrait à distance et, s'il avait besoin d'aide, elle lui enverrait des textos.

– Allez, conclut-elle en lui envoyant une tape dans le dos. Souris ! C'est parti ! Je file la première, il ne faut pas qu'on nous voie ensemble.

Elle entra dans le centre commercial et marcha jusqu'au McDo. De là, elle pourrait surveiller Sam.

Dix minutes plus tard, elle vit arriver Anne et Lisa. Sam leur fit une bise maladroite. Tous les trois franchirent les grandes portes coulissantes, et la corvée de shopping débuta pour Sam. À la surprise de Charlie, il ne se débrouilla pas trop mal dans son propre rôle. Il ne parla pas beaucoup, se contentant d'écouter les deux filles, souriant et rigolant à peu près quand il le fallait. Bon, il y eut bien ce moment où il crut malin de faire du zèle en s'intéressant à des fringues pas possibles. Mais Charlie le ramena à la raison à coups de SMS furieux :

« *Repose ça tt 2 suite. J'ai dit TT 2 SUITE !* »

« *NOOOON, pas de violet à paillettes* »

« *??!??* »

« *ARGH OVERDOSE DE MAUVAIS GOÛT JE MEURS.* »

Finalement, Anne, Lisa et Sam s'assirent à la terrasse d'un café pour boire un jus de fruits. C'était le moment qu'attendait Charlie. Sam avait fait le plus dur : il n'aurait maintenant plus qu'à écouter cette incorrigible bavarde de

Lisa disserter sur le collège, les garçons, les vacances d'été qui approchaient. Charlie pouvait donc relâcher sa surveillance un moment et partir faire ses propres emplettes. Car elle ne comptait pas ressortir du centre commercial les mains vides ! Elle trouva vite le magasin qu'elle cherchait. C'était l'une des rares boutiques dans lesquelles elle n'avait jamais mis les pieds – et pour cause, elle n'avait normalement pas besoin de vêtements masculins.

Charlie examina les portants d'un œil expert. Elle dénicha deux tee-shirts et une paire de baskets en toile blanche. Elle se dirigeait vers les cabines d'essayage quand des voix moqueuses s'élevèrent dans son dos :

– Wow, quelle rencontre improbable ! Ce bon vieux Sam, ici ?

– Improbable ? Je dirais plutôt cauchemardesque.

Charlie pivota lentement.

Devant elle se tenaient Quentin, Samir et Jessica, trois élèves de sa classe. Charlie n'était pas spécialement amie avec eux, mais elle les trouvait plutôt sympas et cool. Et voilà qu'ils la fixaient comme si elle était un cafard dégoûtant.

C'était une chose que d'imaginer ce que Sam devait endurer au quotidien. Cela en était une autre que de faire face à ces regards emplis de mépris. Pour Charlie, ce fut aussi violent qu'une claque en pleine figure.

– Qu'est-ce qu'il fiche là ? s'exclama Jessica. On n'est pas chez Emmaüs.

Les garçons s'esclaffèrent bruyamment.

Plus tard, Charlie repensa encore et encore à toutes les répliques cinglantes qu'elle aurait pu sortir. Mais, à cet instant, elle resta désespérément muette. Rien ne venait, son esprit semblait gelé et ses joues brûlaient.

Le trio quitta le magasin en se tenant les côtes. Quelques minutes plus tard, Charlie s'en allait à son tour, les doigts serrés sur le sac en plastique qui contenait ses achats.

Elle était dans le bus quand son téléphone sonna.

– *Où es-tu passée ?* s'exclama Sam dès qu'elle décrocha.

Charlie était censée l'attendre à la sortie du centre commercial, mais elle n'en avait pas eu le courage.

– Je rentre, dit-elle.

Sam dut percevoir quelque chose dans sa voix, car il n'insista pas.

Un quart d'heure plus tard, Charlie était de retour chez Sam. Elsa jouait dans le salon avec une poupée qu'elle coiffait en chantonnant.

– Ta... euh... Maman n'est pas là ? demanda Charlie.

– Nan, répondit la gamine. Il y a un mot sur le frigo.

Je vais au cinéma avec des amies, disait le mot en question. *Je rentrerai tard. Les pizzas sont dans le four ! Je vous aime.*

C'était la première bonne nouvelle de la journée : une soirée sans stress en perspective !

Charlie jeta un coup d'œil au four et son moral remonta encore – c'étaient de vraies pizzas faites maison, loin des trucs surgelés que sa propre mère lui laissait souvent.

Dehors, l'après-midi déclinait à peine. Charlie erra un moment dans la maison, en profitant pour examiner plus attentivement les pièces. Puis elle remonta dans sa chambre et relança l'ordinateur. L'écran s'alluma sur le profil Facebook de Sam. Une nouvelle actualité était apparue :

Charlie Lacombe et Samuel Declerc
sont devenus amis.

En haut de la page, l'icône rouge des notifications clignotait. Il y avait déjà quinze commentaires. Charlie les fit défiler, et son moral tomba en chute libre. C'était un déluge de smileys moqueurs, de MDR et autres lol, de vacheries émaillées de fautes d'orthographe… Sam en prenait plein la tête.

Charlie referma l'ordinateur d'un geste rageur. *Quelle bande de tarés !* pensa-t-elle.

Au même instant, on frappa à la porte.

– Quoi ?! s'écria-t-elle.

La porte s'ouvrit sur la petite tête d'Elsa.

– Sam ? Tu viens jouer avec moi ?

Charlie dut lutter très fort pour ne pas l'envoyer bouler.

– Jouer à quoi ? grogna-t-elle.

– Au grand puzzle. J'y arrive pas, toute seule.

Un puzzle ! La totale ! Mais qu'avait-elle de mieux à faire, au fond ? Elsa la fixait avec de grands yeux suppliants, et Charlie se sentit vaciller.

– D'accord, céda-t-elle. À condition que tu me joues un morceau de piano d'abord !

– Ouiiii ! cria Elsa avant de dévaler les escaliers.

C'est ainsi que Charlie se laissa entraîner dans une soirée puzzle, entrecoupée d'interludes musicaux et de parts de pizza. Lorsque la dernière pièce du puzzle fut enfin posée, elle abandonna Elsa devant un dessin animé et remonta dans sa chambre.

Skype indiquait trois appels en absence, tous de Sam. Elle cliqua sur l'icône du téléphone. Quelques secondes plus tard, son propre visage s'afficha à l'écran.

– *Ah, ben enfin !* s'exclama Sam. *Qu'est-ce que tu faisais ?*

– Un puzzle, rétorqua Charlie. Et toi ?

– *J'ai essayé d'appeler l'hôpital pour avoir des nouvelles du prof, mais je n'ai rien appris de neuf. Enfin, pas de quoi s'inquiéter pour autant, hein ! Le délai n'est pas encore écoulé. On va tout arranger...*

– Oui, oui.

Charlie avait détourné le regard. Il y eut un silence. Puis Sam reprit :

– *Il y a autre chose qu'il faut que je te dise. Tout à l'heure, j'ai, euh... j'ai pris une douche.*

Ce ne fut qu'en voyant Sam s'empourprer qu'elle comprit ce que cela impliquait. Ses yeux s'écarquillèrent.

Une douche ! Avec son corps à elle !

– *Je n'ai pas regardé*, bredouilla Sam. *Enfin, pas vraiment...*

C'était un cauchemar. Mais Charlie se força à rester calme.

– OK, dit-elle. Ça me rappelle qu'il faut que j'y passe, moi aussi. À demain !

La communication se coupa sur un Sam blêmissant à l'écran.

CHAPITRE 12

Cette nuit-là, Charlie dormit d'un sommeil agité. Elle rêva que le délai était écoulé et qu'elle restait Sam pour toujours. Lorsqu'elle ouvrit les yeux, elle était un peu fiévreuse. Était-ce le premier signe de la métamorphose qui devenait définitive ? Charlie se redressa, en proie à un début de panique, et manqua de tomber du lit en s'entortillant les pieds dans les draps.

Elle décida d'appeler Sam. Il répondit au bout de plusieurs sonneries – à sa voix, elle devina qu'elle l'avait réveillé.

– *Allô ? Tu t'inquiètes à propos du prof, c'est ça ? Je n'ai pas eu de nouvelles, mais je retourne à l'hôpital ce matin. Ah, au fait,* ajouta-t-il comme s'il se rappelait soudain un détail, *j'ai parlé avec ta sœur hier soir !*

– Hein ? s'exclama Charlie. Tu as *quoi* ?

– *Tu as bien entendu. Alice regardait une série dans sa chambre et, en passant devant sa porte, j'ai reconnu la musique du générique. C'était* Battlestar Galactica, *une vieille série de science-fiction que j'adore. Du coup, je n'ai pas pu m'empêcher d'entrer. Je ne connais personne d'autre qui s'intéresse à cette série, tu comprends ! On en a discuté hyper longtemps. Ta sœur est plutôt cool, en fait.*

Cool, Alice ? Première nouvelle !

– *Bon, qu'est-ce que tu comptes faire aujourd'hui ?* continua Sam.

– Je ne sais pas. Je ne me sens pas très bien, ce matin...

– *Reste chez moi, alors. Je te rappelle dès que j'ai des news.*

Et il raccrocha.

Charlie resta un moment allongée, les yeux fixés au plafond. Puis, sur une impulsion, elle se leva, attrapa l'ordinateur portable et le rapporta dans le lit.

Qu'est-ce que Sam avait dit, déjà ?

Battlestar Galactica.

Elle entra le nom de la série dans un moteur de recherche, dénicha le premier épisode et le lança d'un clic.

Lorsque le téléphone sonna de nouveau, Charlie en était à l'épisode cinq. Son état physique ne s'était pas amélioré, mais se plonger dans la série préférée de Sam l'empêchait de céder à la peur.

– *J'ai une bonne nouvelle et une mauvaise*, annonça Sam sitôt qu'elle décrocha. *Je commence par laquelle ?*

Il avait l'air bizarrement excité.

– La mauvaise, répondit Charlie.

– *Notre passage clandestin dans la machine l'a complètement déréglée. Il faudra deux grosses journées de travail au prof pour la remettre d'aplomb.*

Charlie n'en crut pas ses oreilles.

– Comment tu le sais ?

– *Ça, c'est la bonne nouvelle !*

Charlie pouvait presque voir Sam sourire à l'autre bout du fil.

– *Le professeur Atlas est sorti de l'hôpital ce matin. Il était en grande forme ! Je l'ai raccompagné jusqu'à la fête foraine, et nous avons examiné ensemble sa machine. Plusieurs pièces sont mortes : il doit les remplacer et reprendre toute la programmation, mais il m'a promis de faire aussi vite que possible.*

– Ce qui veut dire...

– *Que nous avons rendez-vous demain à dix-sept heures pour récupérer nos corps,* compléta Sam.

Charlie poussa un long cri de victoire.

Puis un petit détail lui apparut, qui réussit à dissiper toute sa joie en un quart de seconde.

Demain, c'était lundi. Elle allait devoir survivre à une journée supplémentaire en tant que Sam, et ce dans l'environnement le plus hostile de l'univers : le collège.

CHAPITRE 13

Le lendemain, ce fut une Charlie-zombie qui se présenta à l'arrêt de bus. La tête de Sam qu'elle affichait ce jour-là était particulièrement horrible : cheveux aplatis, cernes de panda, teint blafard... Elle avait regardé des épisodes de *Battlestar Galactica* jusqu'au milieu de la nuit, incapable de s'endormir. Trop de pensées tourbillonnaient dans son esprit. *Et si le professeur Atlas n'était pas capable de réparer la machine avant demain soir ? S'il s'était trompé sur les soixante-douze heures et que le délai soit déjà dépassé ? S'il devenait maboul pendant la nuit et qu'il les oublie complètement, elle et Sam ? Ou, pire, si la machine explosait en le carbonisant tout entier ?*

Charlie attendit que les autres élèves grimpent dans le bus, puis elle s'installa au premier rang, comme Sam en avait l'habitude. Elle se retourna, le chercha un instant.

Il s'était également assis à la place habituelle de Charlie, au fond du bus. Il portait la robe qu'il avait achetée sur ses instructions deux jours plus tôt, au centre commercial. *Pas mal*, jugea Charlie, satisfaite de son propre bon goût. De son côté, elle avait enfilé son nouveau tee-shirt et chaussé ses baskets blanches. Quand Sam s'en aperçut, il eut l'air stupéfait.

« *Surprise !* » lui envoya Charlie par SMS.

« *Surprise toi-même : tu as vu qui est à côté de moi ?* » répondit Sam.

Ce n'était ni Lisa ni Anne – assises au rang précédent, ses amies faisaient d'ailleurs la gueule –, non, c'était... Alice ! Décidément, ces deux-là étaient en train de devenir copains comme cochons.

Charlie s'était mis d'accord avec Sam la veille : ils ne devraient pas se parler, pas même s'approcher. Chacun resterait de son côté, jouant aussi bien que possible le rôle de l'autre.

Lorsque le bus les déposa devant le collège, elle descendit la dernière, avant de se réfugier dans un coin du préau pour attendre le début des cours. Charlie n'avait pas l'habitude d'être seule. Il y avait toujours du monde qui gravitait autour d'elle. Mais aujourd'hui, dans la peau de Sam, personne ne la regardait : elle était devenue complètement transparente. Elle sortit son téléphone et fit semblant de pianoter sur le clavier hors d'âge, jusqu'à ce que la sonnerie retentisse. Charlie l'accueillit avec un soulagement inédit et fila s'installer en classe. Évidemment, personne ne s'assit à ses côtés.

La matinée passa, mais elle n'entendit pas un mot des cours. Plus les heures défilaient et plus son impatience grandissait. *Plus que sept heures*, se disait-elle. *Plus que six. Plus que cinq.* Lorsque midi sonna, Charlie s'apprêta à faire face à une nouvelle épreuve : la cantine. Elle se traîna jusqu'au réfectoire.

Sam, Lisa et Anne étaient déjà assis à leur table habituelle.

Charlie attrapa un plateau, remplit son assiette avec le premier plat venu. Elle allait s'asseoir en solitaire lorsqu'une idée germa dans son esprit. Elle fonça vers le trio et se planta devant leur table. Un silence de mort salua son irruption. Plus que les deux autres filles, Sam eut l'air stupéfait de la découvrir là.

– Euh, tu as un problème ? lança Lisa d'un ton méprisant.

Charlie plongea son regard dans celui de Sam, qui mit quelques secondes à réagir :

– C'est moi qui ai proposé à Sam de manger avec nous. Installe-toi donc !

La tête que fit Lisa !

Charlie faillit éclater de rire.

– Stylé, ton tee-shirt, remarqua Anne, étonnée, tandis que Sam s'asseyait à côté d'elle.

De tout le réfectoire, les regards convergeaient vers eux. Charlie les sentait s'accrocher à son dos, insistants, curieux, moqueurs. Des murmures se propageaient de table en table. *Sam le loser qui rejoignait la belle Charlie et ses copines !* C'était le buzz de la journée, de la semaine, du mois même.

Mais Charlie s'en moquait définitivement.

CHAPITRE 14

Ils étaient censés se retrouver à la sortie du collège, loin des yeux de tous, mais Charlie intercepta Sam dès la fin des cours.

– On y va ?! s'exclama-t-elle. On a un corps à récupérer et je n'en peux plus d'attendre !

Ils rejoignirent la fête foraine Atlas en marchant si vite qu'ils arrivèrent essoufflés. Une fois devant la caravane du professeur, Charlie et Sam échangèrent un dernier regard. Puis ils frappèrent, tous les deux en même temps.

Personne ne répondit.

– C'est une blague. Il n'oserait quand même pas nous poser un lapin !

La porte n'était pas verrouillée, ils s'en aperçurent rapidement. Charlie et Sam s'engagèrent donc dans le couloir. Un bourdonnement familier s'échappait du laboratoire. Ils approchèrent... et découvrirent le professeur tranquillement installé devant son ordinateur, ses lunettes sur le nez. Un programme compliqué, tout de chiffres et de diagrammes, s'affichait à l'écran. Plongé dans son travail, il ne les avait même pas entendus arriver.

– Ah, vous voilà ! déclara-t-il en s'apercevant enfin de leur présence. Vous tombez bien. Ça n'a pas été facile, mais ma machine devrait être opérationnelle, à présent.

Charlie ne put retenir un soupir. C'était comme si on venait de la soulager d'un poids énorme et qu'elle puisse respirer à nouveau. Un coup d'œil en direction de Sam lui suffit pour comprendre qu'il ressentait la même chose.

Sans réfléchir, Charlie glissa sa main dans la sienne. Elle le sentit tressaillir... Puis ses doigts serrèrent les siens.

– Entrez dans les cabines, je vous prie.

Ils franchirent les deux portes en un mouvement parfaitement synchrone, et celles-ci se refermèrent avec un déclic sonore. Sous les pieds de Charlie, le sol se mit aussitôt à vibrer.

– Hé, cria Sam depuis la deuxième cabine, t'as pas intérêt à faire comme si tu ne me connaissais pas dès qu'on sortira d'ici, hein !

– Et puis quoi encore ? répliqua-t-elle. Je suis déjà en train de t'oublier !

Elle l'entendit rigoler. Un bourdonnement sourd agita la machine, les lumières s'éteignirent.

– Promets-moi que tu finiras *Battlestar Galactica* et que tu en discuteras avec ta sœur, continuait Sam de l'autre côté.

– Je vais plutôt te la présenter, vous m'avez l'air bien partis pour devenir les meilleurs amis du...

Charlie eut l'impression qu'un courant électrique la traversait. Elle sentit son corps vibrer, ses os crisser, sa vision se troubla, son équilibre fut perturbé… Puis, comme la première fois, tout s'arrêta très vite. La porte de la cabine se déverrouilla.

Charlie sortit en titubant.

Une drôle de sensation l'envahit alors.

Elle *savait* qu'elle était de retour dans son propre corps. Elle n'avait pas besoin de voir son reflet dans un miroir : elle le sentait – c'était comme d'enfiler un jean parfaitement taillé. Et pourtant, Charlie n'était plus tout à fait la même. Elle avait laissé une part d'elle-même dans cette maudite cabine… Une part qui ne manquerait à personne.

Sam sortit à son tour. Il semblait plus perturbé qu'elle et il eut besoin de s'adosser un instant à la porte de la cabine.

– Ça y est, murmura-t-il, c'est fini.

– Encore heureux ! répliqua Charlie. La prochaine fois, trouve une manière plus simple de te faire des amis, OK ?

Sam leva un sourcil étonné.

– C'est moi, ou tu as dit « amis » ?

Charlie avait parlé sans réfléchir. Ça lui arrivait souvent mais, pour une fois, elle ne regretta pas ses mots.

– Hé ouais ! assuma-t-elle. Amis.

Sam leva une main et elle fit bruyamment claquer sa paume contre la sienne. Ils partirent alors dans un fou rire incontrôlable, nourri d'un soulagement si intense qu'il en devenait joyeux, le tout sous les yeux d'un professeur Atlas parfaitement stoïque.

– Ces jeunes… soupira-t-il.

Puis il coupa le courant qui alimentait la machine à échanger les corps.

Mieux valait être prudent, non ?

L'AUTEUR

Camille Brissot est née le 5 octobre 1988 à Romans – heureux hasard – et a grandi dans la Drôme, entre les vignes et les vergers. Publiée pour la première fois à la suite d'un concours de nouvelles, elle est encore lycéenne lorsque paraît son premier roman, *Les Héritiers de Mantefaule* aux éditions Rageot. Elle intègre ensuite l'Institut d'études politiques de Lyon, où elle suit un cursus sur les civilisations asiatiques, puis étudie pendant un an à Édimbourg. Camille vit à présent à Paris et travaille dans la communication. En février 2017, elle a publié son premier roman chez Syros, *La Maison des reflets*.

DU MÊME AUTEUR,
AUX ÉDITIONS SYROS

La Maison des reflets, hors-série, 2017

DANS LA COLLECTION
SOON

Mini Syros +, à partir de 10 ans

Dans la peau de Sam
Camille Brissot

Ascenseur pour le futur
Nadia Coste
Prix Plume Jeunesse 2015
Prix Lire en Poche Jeunesse 2015
Prix Bouquin Malin 2016

Les Voyageurs silencieux
Jeanne-A Debats

Un week-end sans fin
Claire Gratias

Des ados parfaits
Yves Grevet
Prix Lire Elire 2015
Prix Ramdam 2015

L'Accident
Yves Grevet

Traces
Florence Hinckel

Meurtres dans l'espace
Christophe Lambert

Le Garçon qui savait tout
Loïc Le Borgne

Mini Syros, à partir de 8 ans

Le Très Grand Vaisseau
Ange

Toutes les vies de Benjamin
Ange

L'Enfant-satellite
Jeanne-A Debats
Prix littéraire de la citoyenneté 2010-2011

L'Envol du dragon
Jeanne-A Debats
Prix Cherbourg-Octeville 2012

Rana et le dauphin
Jeanne-A Debats

Opération « Maurice »
Claire Gratias
Prix Salut les bouquins 2011

Une porte sur demain
Claire Gratias

Mémoire en mi
Florence Hinckel

Papa, maman, mon clone et moi
Christophe Lambert

Libre
Nathalie Le Gendre
Sur la liste de l'Éducation nationale

Vivre
Nathalie Le Gendre

À la poursuite des Humutes
Carina Rozenfeld
Prix Dis-moi ton livre 2011

Moi, je la trouve belle
Carina Rozenfeld

Série « Les Humanimaux »
Éric Simard
L'Enfaon
Sur la liste de l'Éducation nationale
Prix Livrentête 2011
Prix Dis-moi ton livre 2011
Prix Lire ici et là 2012
Prix Passeurs de témoins 2012
Prix Livre, mon ami 2012
L'Enbaleine
L'Enbeille
L'Encygne
L'Engourou
L'Enlouve

Robot mais pas trop
Éric Simard
Prix Nord Isère 2011-2012

Roby ne pleure jamais
Éric Simard

Les Aigles de pluie
Éric Simard

Loi n° 49-956 du 16 juillet 1949
sur les publications destinées à la jeunesse,
modifiée par la loi n° 2011-525 du 17 mai 2011.
Mise en pages : DV Arts Graphiques à La Rochelle.
N° d'éditeur : 10232734 – Dépôt légal : juin 2017
Achevé d'imprimer en mai 2017
par Clerc (18206, Saint-Amand-Montrond, France)